中国科学院院士、国家自然科学奖获得者 张景中 领衔创作

# 天梦奇旅 第二卷

## 小学数学实验漫画版

张景中　张 矩　黄子睿 / 著

科学普及出版社
·北 京·

**图书在版编目（CIP）数据**

天梦奇旅. 第二卷 / 张景中，张矩，黄子睿著. — 北京：科学普及出版社，2017.1

（小学数学实验：漫画版）

ISBN 978-7-110-09345-0

Ⅰ. ①天… Ⅱ. ①张… ②张… ③黄… Ⅲ. ①小学数学课 – 教学参考资料 Ⅳ. ① G624.503

中国版本图书馆 CIP 数据核字 (2016) 第 244832 号

策划编辑：杨虚杰
责任编辑：汪晓雅
装帧设计：犀烛书局
责任校对：杨京华
责任印刷：马宇晨

出　　版：科学普及出版社
发　　行：中国科学技术出版社发行部
地　　址：北京市海淀区中关村南大街 16 号
邮　　编：100081
发行电话：010–63583170
传　　真：010–63581271
网　　址：http://cspbooks.com.cn

开　　本：787mm × 1092mm 1/32
字　　数：110 千字
印　　张：6
版　　次：2017 年 1 月第 1 版
印　　次：2017 年 1 月第 1 次印刷
印　　刷：北京科信印刷有限公司

书　　号：ISBN 978–7–110–09345–0 / G · 3983
定　　价：19. 80 元

# 关于作者的那些事

张景中爷爷年轻的时候喜欢写诗，也喜欢做数学题。后来题越来越难，20年前题就难到特别不好做的时候了，张爷爷就成了中国科学院院士。可是张爷爷还喜欢写书给小朋友看，比如《数学传奇》《漫话数学》《数学游戏的故事》《少年数学实验》。

张矩叔叔小时候做不好张爷爷（那个时候叫张叔叔）出的题，所以到美国去念了计算机科学的博士学位。现在在中国科学院重庆院守着一万多个核的超级计算机（反正就是很厉害）做天气预报跟基因分析计算的时候补做数学题。张矩叔叔特别喜欢听人家讲故事。

黄子睿姐姐小时候喜欢跳舞、喜欢听故事、喜欢讲故事、喜欢过家家。现在长大了学会了编故事，还喜欢找其他哥哥姐姐一起编故事。

葛良叔叔小时候没有上过课外美术班，自己就喜欢画画。后来长大了就给小朋友做动画片，做过《熊猫晶晶》《洛克王国》的原画指导，还制作了《熊小米》给特别小的孩子看。现在领着好多哥哥姐姐给大家做漫画。

## 关于内容

慧之元神千百年间都附身在有灵性的物体身上，回答主人的问题。最近风华小学三年级懒癌学生夏小梦的生活可不平静：家里8个月大的弟弟突然开口叫他“主人”；新来的数学老师帅气又神秘；还有学校后山古堡，究竟藏着什么？

夏小梦在弟弟和朋友的帮助陪伴下，不仅在探险中提高了数学成绩，还学会了爱与责任。

# 序

《少年数学实验》完成以后，张景中院士一度雄心勃勃着手准备一本《小学数学实验》，可惜因事务繁冗未能一鼓作气完成。张矩看到已完成部分，虽然按张景中既有著作风格不够独立成书，然而参照国外数学漫画的形式，足够出版五六本小读物了。张景中从事基础教育科普工作30余年，深感青年人的参与对于科普工作十分珍贵与重要，探索漫画科普创作之路这一理念也得到了张院士的积极支持。因此，黄子睿在重庆邮电大学征召了十几位爱好写作的本科大学生，绝大部分是理科学生。他们把故事编得可读性强，努力揣摩小弟弟、小妹妹的兴趣所在。葛良从事动漫工作多年，近年涉足幼教动漫，对高年级教育动漫开发的挑战有深刻理解。托国家近年大力发展动漫产业的福，葛良得以找到一批年轻漫画工作者参与我们的工作。作为创作方式的一个实验，我们尽可能在每个部分体现多名写作人员与多名漫画创作人员的合作。筚路蓝缕，举步不易，然终成果实，不惧尚有瑕疵，亦呈现给读者，以求指正。企望团队从此出发，日夜磨炼，修正不足，不断成熟。

张 矩

2016 年 夏

# 目录

# 主要人物介绍

**易佰分：**

小梦班上的学霸，胜负心极强，经常引起他人的反感。

**布慧庞：**

小梦的同学，吃货一枚，小梦的好朋友，为人憨厚，懂事善良。

**姚爱国：**

小梦班的班长，一个中二病的热血直男。

**夏小梦：**

本书主角，小学三年级学生，夏小天的姐姐，拥有酷酷的性格。

**美琪：**

小梦班的班花，家庭富裕，受班上男生欢迎，爱耍小性子，非常自恋。

李斯特：

小梦学校的数学教授，头脑灵活，学识丰富，外表俊朗，为人自信，受全校师生喜爱。

迪卡卡：

小梦学校校长，原是全球排名第一的拉弗儿大学的数学系高级教授，为人睿智低调。

张玲：

小梦班班主任，职业女性，循规蹈矩，服从上级爱护学生。有更年期轻微症状，易被激怒。

夏小天：

夏小梦的弟弟，八个月大。外表看似呆萌，实则是 IQ 超过 200 的天才宝宝，经常黏着姐姐夏小梦。

# 第一话 鸡腿二人组

狼吞虎咽
吧唧～吧唧～
太赞了！
那必须的！

再来一个！
最后一个！
最后一个！
这是我的！
是我买的！

姐姐要让弟弟！
我是主人，
你要听我的！！
我可以解决这个问题！！
不需要你让！！
啦啦啦～
好香啊～
哎。
等等……

我有办法！
……
嘿！
麻利麻利哄……
啦啦啦～

咦~~~
这可是聚宝盆！一个变两，两个变四！！
真的？
试试。
嘻嘻嘻~
嘿嘿，鸡腿~鸡腿~

盖上。
一分钟！
好了！
啦啦～
两根鸡腿！

都是我的！
不行！我变的就是我的！
我打你屁股！
我哭给你看！！！
哇啊啊啊～！！！

哇哇哇~！！
我的鸡腿！
呜呜呜！！
……
算了，给你。
夏小梦，不准
欺负弟弟！
哈哈！

怕了吧！
小气鬼！
不和你计较！我再变几个！
铛铛铛！
三个！

三个，为什么
不是四个？
封印太久了，法
力不够，高级模
式的等比法术召
唤不出来，咱先
凑合用等差法术
吧！
等 差 ……
是 个 什 么
鬼！
等差，就是 2 − 1=1，3 − 2=1，4 − 3=1；
1,2,3,4, 就是等差数列啦！
−
=
−
=
−
=

等差数列即一个数列从第二项起，每一项与它的前一项的差等于同一个常数。比如 1 2 3 4；又比如 2 4 6 8。
哦！好像有点印象！
是真的吗？那我再考考你吧。
嘻嘻
图形有什么规律啊？如答不上的是笨蛋。哈哈哈哈……
让我想想，哼~~
温馨提示：等差数列哦。

# 第二话 零食的「聚会」

♫♪
你为何绑架这么多零食？
因为我要带它们远离你！
去哪里？
去春游！

带上我！
才不要！
主人~~
次日

梦梦啊，你把这些带上吧！
不需要。
那你把这个带上吧，山上冷！

没事儿！
那就带上这个吧！以防万一！
不会有万一的！

这个你必须给
我带上！
真是麻烦。
百货商场

李老师啊！
我家里煤气灶好像忘记关了，你今天帮我带一下孩子们可以么？
嗯。
真是愚蠢的人！

走走 走走走，我们小手拉小手
走走 走走走，一同去郊游
白云悠悠，阳光柔柔……
阳光柔柔……
沸腾吧！人类！

慧庞！你唱的才是最好听的！
真的么？

嗯！
今天天气好晴朗，处处好风光，蝴蝶忙啊，
小鸟忙着，白云也忙，啊~~~
啪啪啪啪~
啪啪啪啪~
哼。
啪啪啪啪~

掌声不断……
害羞～
啪啪啪～
这个移动的大箱子！真不是一个好东西！晕死小爷了！
豆豆？！不对！！
你是夏小天！你来干嘛？

讨厌～
人家害羞嘛！
噢，噢。
原来零食是来开会
啊！让我也加入吧！

我们在春游耶，你这样跟着我很容易招人怀疑的。快回去！
本大仙自有妙计。

你把零食都绑架走了，我呆在家里还有什么意思啊！
你这样直接跑出来不怕被怀疑啊！
爷爷奶奶知道我今天来春游的，不用担心啦。
本大仙已经给你画了张符，现在只有你才能听懂我的兔子语啦。
啪啪啪～

给我安分点。
嗯？！哦，好的。
嗯嗯，因为我怕痒，所以你一定不要乱动哦！
好的。
嗖~
嘻嘻。

哎？小梦，你怎么把
你家豆豆带来了？

这讨厌鬼自己
钻进我书包的！

豆豆不是讨厌鬼，如果我妈妈在家也会给我买一只这么可爱的小兔子的。

接下来大家以班级为单位结伴同行，
注意安全，五点半的时候我们就回到这里集合。
好！
好！

今天张老师有事，
我来带你们。
哦。
跟着我走。

!!

哇!
哇!

好像魔法师啊！
哇！奇观啊～
李老师，张老师，不管我吃东西的就是好老师！
进入结界……

结界？！
没可能嘛，这个时代会法术的人只有我了吧！哈哈！

真是愚蠢
的人类！
大家分小组自
由活动吧！
好！
易佰分，真
的是你吗？

美琪同学，啊！我心爱的公主！这世间只有美丽的花朵才能与你相配。

姚爱国，老师说了是前后四桌的同学为一组。
你不去你们组待着，老跟着我们干嘛。
身为班长，我有责任保护我们班的公主大人！

啊啊啊啊！

# 第三话 开门

姚爱国！你该
减肥了！
噢噢！是男人就
应该有体重！
好痛啊！脚磨破皮
了！以后留疤了怎
么办？
我帮你找找
看有没有创
可贴之类的。

……
对了！
找到了！
诺~
这东西能
用么？

不用我可
就拿走了！
哦，里面有药膏
和纱布！

你怎么会有
这个啊！
妈妈说有
备无患嘛！
地震了吗？
我们好像掉进
陷阱里了。

怎么周围一下变黑了？
你们看！这是什么！！
5
18
10
16
!!

黑暗之神，你以为在此布下结界；吾便会退缩么！吾乃继承暗黑之眼的使魔，你的诡计我早已看穿！“一”乃一往无前，“五”乃对吾的召唤！
5
就这样也能当班长！“L”是路，所以L才是对的！

美琪！跟我
来吧！
真的么？
why not?!

进不去?!
小梦!快去
“一”门看看!
怎么了?
快去!

嘭
看来这个门，是只能进入一次了！
小梦……我、我好怕啊，我要和你一起……

别怕，每个门只能容纳一个人，你先去“I18”的门，我一定来找你。
真的吗？
恩！相信我！
呃……我 走了。
你走“I16”门吧！
谁要走啊！万一和慧庞相遇，我还不如走那个空白门呢！

那我就走了！
哼！
你就不会多求我两次么？！
喂，那个……真的没事吧？
不管啦！慧庞还等着我呢！
有没有事去了才知道。

# 第四话 指向法

看！那是什么！
那不是慧庞她们么？！
时间限时4分钟！游戏现在开始！！
欢迎来到九九等差棋，你们需将每颗棋子按等差数列走到各棋盘边缘！（至少两步）
5
10
16
18

夏小梦？！我还是跳下去吧！
那你跳啊！
姚爱国！
56789！
差为1！
好嘞！
5
咔嚓
5
6
7

轰隆
呀！
3
4
8
9
看来走过的还不能再走了！
美琪！10 15 20 25！差为 5！
怎么还没到啊 ~~
20
25
10
必须走到边缘！
右转！25 30 35 40 45！

小梦！真棒！
怎么办！怎么办！
小梦别怕！
别怕，这不有我么！
小天我该怎么办！慧庞和易佰分还在上面！
18
易佰分！
到！

这是谁的声音?
16 12 8 4！差为 -4！
正反都可以走吗?
是!
那跳着是不是也可以?！
是的!
18 36 54 72！差为18！
交给我

夏小梦？
怎么会是她？
不可能。不可能。

难道是那只兔子！
马上就揭晓答案。

啊 ~~~ 李老师啊，
今天天气真不错呀 ~
可恶！

是啊，还是您英明，

安排这么好的时间和地方让孩子们亲近自然，
孩子们玩得都很开心呢。
哦？呵呵呵，是吗？我再去睡会儿。
挥手

72
63
54
27
36
54
63
7
36
呀！
54

36
54

累死本宝宝啦！

慧庞！
你醒醒啊！

啊啊啊！小梦救我！
我是好心救你呢！

出口！！！
这应该是出口！
大家快跟上！

今天你真
漂亮!
嗯!
虽没有看到
后面,

嗯～
但那只兔子
绝对可疑！

大家今天玩得开心吗？！
哈
哈
哈
哈
呼～呼～
能跟老师分享你们有趣的经历吗？

吧!!
叽—!
今天回家每人写一篇不少于 500 字的游记!!
明早交上来!!!!
!

# 第五话 why not

夏小梦
你会么？
……

也是，这种高智商游戏你怎么可能会呢！
无聊。
弱者的掩饰~
那你敢和我比么？
why not!

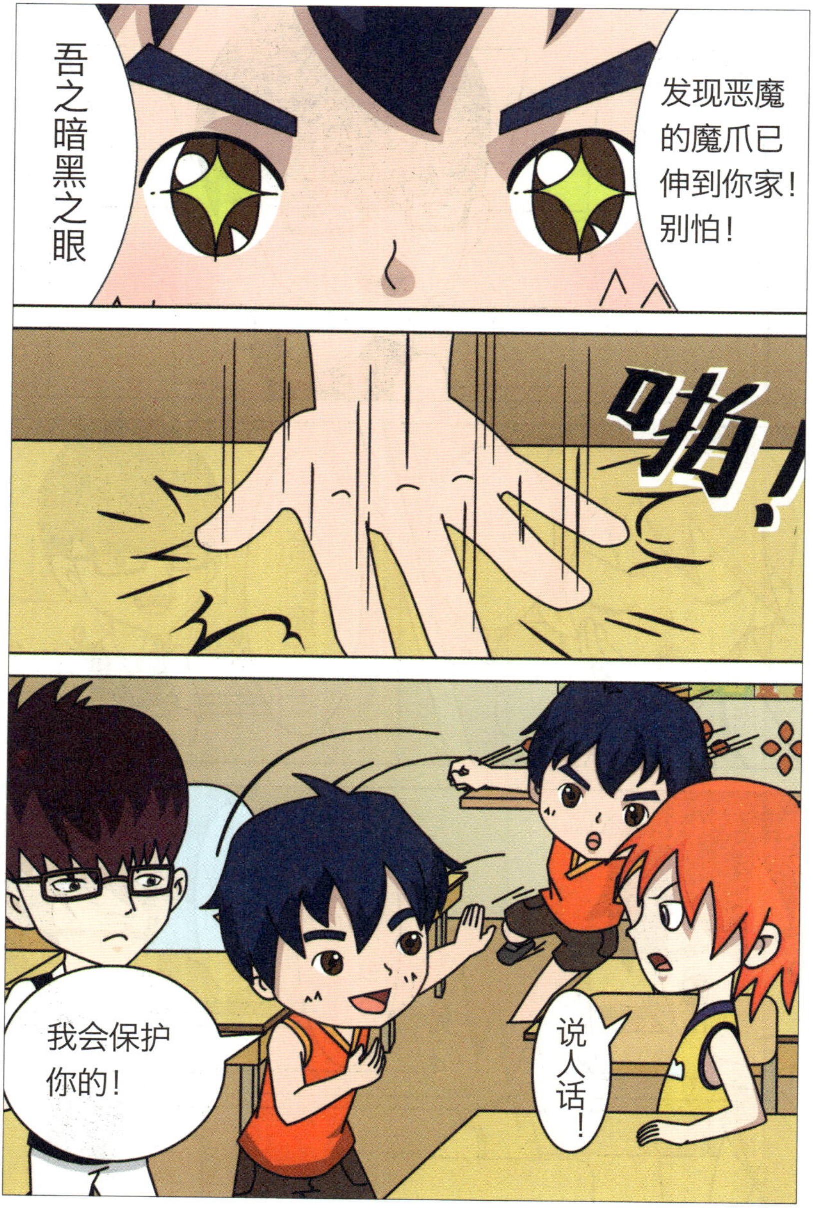
吾之暗黑之眼
发现恶魔的魔爪已伸到你家！别怕！
啪！
我会保护你的！
说人话！

我也想去！
让你们二打一！

放学途中
校长再见！
校长再见！
噢？又放学啦？
ZZZ
ZZZ
ZZZ
······

呃~我~这个人呢~
从不轻易求别人……
呃~可不可以……

不要
他们快要来了！我的尊严啊！！！
谁让你逞能呢……

五个鸡腿
麻辣的！

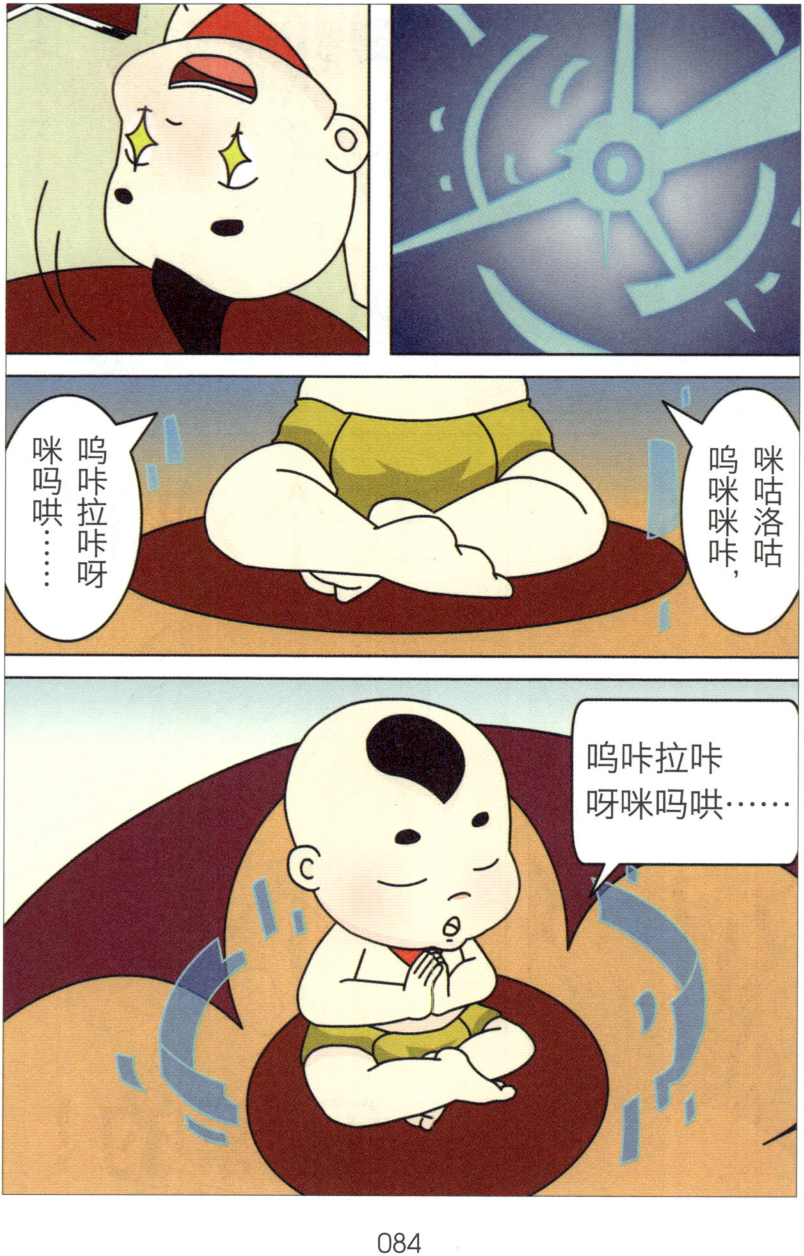
咪咕洛咕
呜咪咪咔，
呜咔拉咔呀
咪吗哄……
呜咔拉咔
呀咪吗哄……

自己去好好感受游戏世界吧，出不来可别怪我！
小梦，你同学来家里做客啦！
嘿嘿，今天就让你们见识见识！

10
7
15
6
1
出现

嗷呜！！！
我是狼人！
这只是游戏特效啦！
水水水！
游戏提示：
本次游戏，你们需要在
规定时间内共同通关。

哟～哟
什么鬼！
游戏世界！

没有技能键？
诺~法杖！
没法放技能！
意念！
……

谋杀啊！！
反正是游戏！
随便玩玩啦！
呵呵
我也随便玩玩！

啪！
门之抉择
……

门
门
我先歇歇，
你们加油。

嗷呜！！
被黑暗之神封印
的门啊！
我以暗黑使魔的身份
命令你！芝麻开门！！
碰！
碰！
……

嘎吱~
门开了！
！
逗我玩儿呢！
碰
！

……
……
小梦：对了，是易佰分的魔法球碰到过我的鞋子。

# 第六话 北斗七星

喂！你试试！
知道我的厉害了？

……………
我说的是魔法球！
不早说！
呼

~哔~
您只剩两颗魔法球，请注意使用！
0
100

这是？
0
气。
然后？
快没了。
0
100
然后？

还有五扇封印之门！
等等！

我们可以利用反射！对！跟打台球一样！

2
3
4
5
6

这破门还不开呀！
你再对一号门
发射一次呢？

嘎～吱～

Let’s go!!
噢！！
运动渣

1
7
3
6
10
15
21

补气大药瓶!

1+2=3，3+3=6，6+4=10，
10+5=15,15+6=21
我知道了！这是刚才大厦门上数的求和！
可是7是什么？
就爱显摆。
嗷呜！！
待我取回生命水！

~咻！

啪！

1
3
7
6
3×7=21，直接就能取得药水！
走6吧！3与7之间有深渊，太危险了！
嗷呜~~看来暗黑之神在此布下了诱饵！

还是7吧！更快。
7与求和无关！
捷径
3×7也等于21啊！这是捷径！
选7快速！
选6安全！

哼
小梦同学！

我还是觉得走
6 比较安全!
666666……
15
10

21
下
沉
轰
轰
请在 20 秒内计算出
0 2 4 6 8 10 12 14 16 18 的和，
否则失败！

0+2
算得出
来么？
算得出来么？

7=1+6=2+5=3+4 ➡ 0+18=2+16=……

=8+10=18

1－6一共6个数➡0,2,4……18共10个数

6÷2=3➡10÷2=5

3×7=21➡5×18=90

90！
好嘞！
恭喜您回答正确！
此乃等差数列求和式，
$S=(a_1+a_n)\frac{n}{2}$
$a_1$ 为数列首项
$a_n$ 为数列尾项
$n$ 为数列项数

咔咔！

你们没事吧！

# 第七话 逃出生天

好沉啊！快撑
不住了！

哼，不需要你救。
吾乃暗黑之使魔。
区区两个人算什么！

啊!

呼
战斗力 0

这是什么?
从 5×5 － 4×6=1
找一般规律
刷!
刷!
5
5
4
6
一个 5×5 的网，一个 4×6 的网

为什么会有一个缺口啊?
5×5=25，4×6=24
25 − 24=1，笨!
是不是:
中间数× 中间数＝最大数× 最小数＋1,
5 × 5 = 6 × 4 +1
5
5
4
6
对!

那道光是什么？
碰！

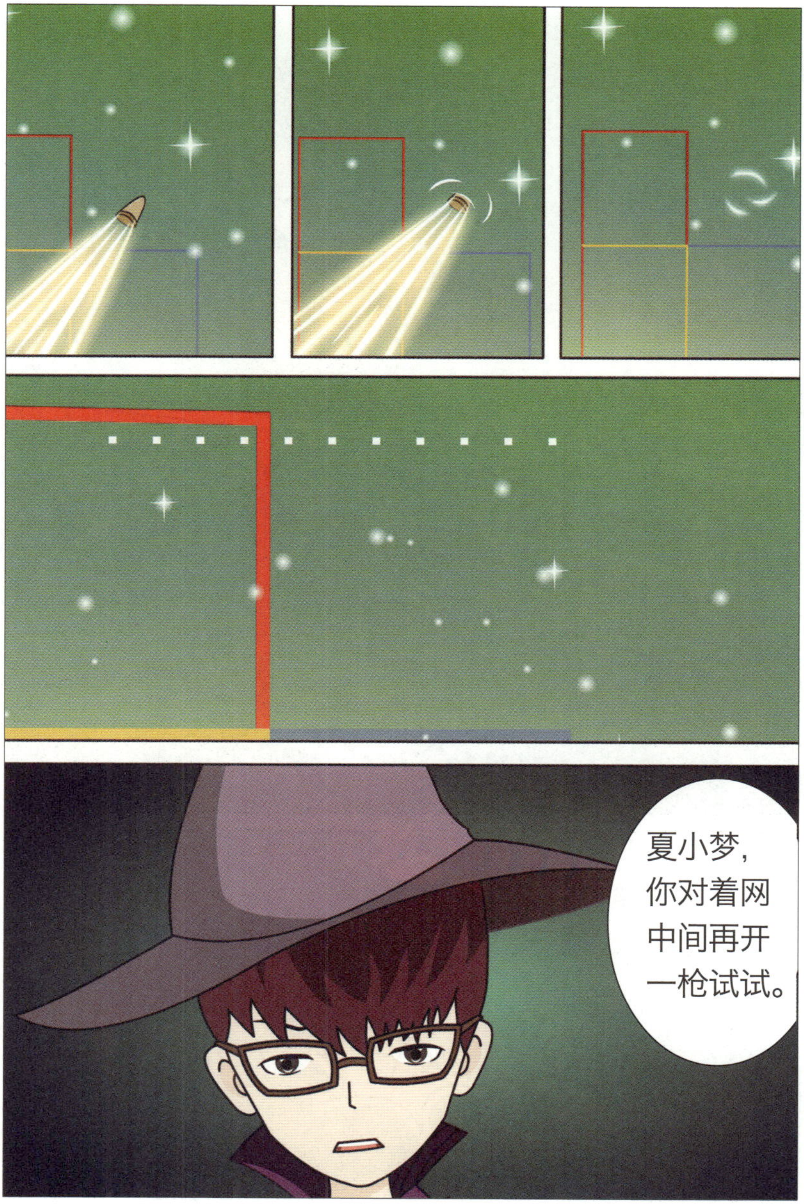
夏小梦，你对着网中间再开一枪试试。

1S~
2S~
!
砰

刚才为什么没有声音?
$v_0$=10m/s
$g$=9.8m/s$^2$
$t$=3s
$h=v_0t+1/2gt^2$=74.1m
那必定是出口!

深不见底啊。
根据 3 秒的回声，从这儿到底部有 74.1 米。
我带你们下去！
没事儿，
你的气槽全都空了！
嗯

利用下面魔法球的反弹，
可以减少上面魔法球下降
的冲力。
怎么
做！！

咻～

哒~哒~
砰~砰~
哇，真的过去啦。

消失啦！

# 第八话 争吵的假期

哒～
哒～
夏小梦，
海欣小区，
3 栋 7 楼。

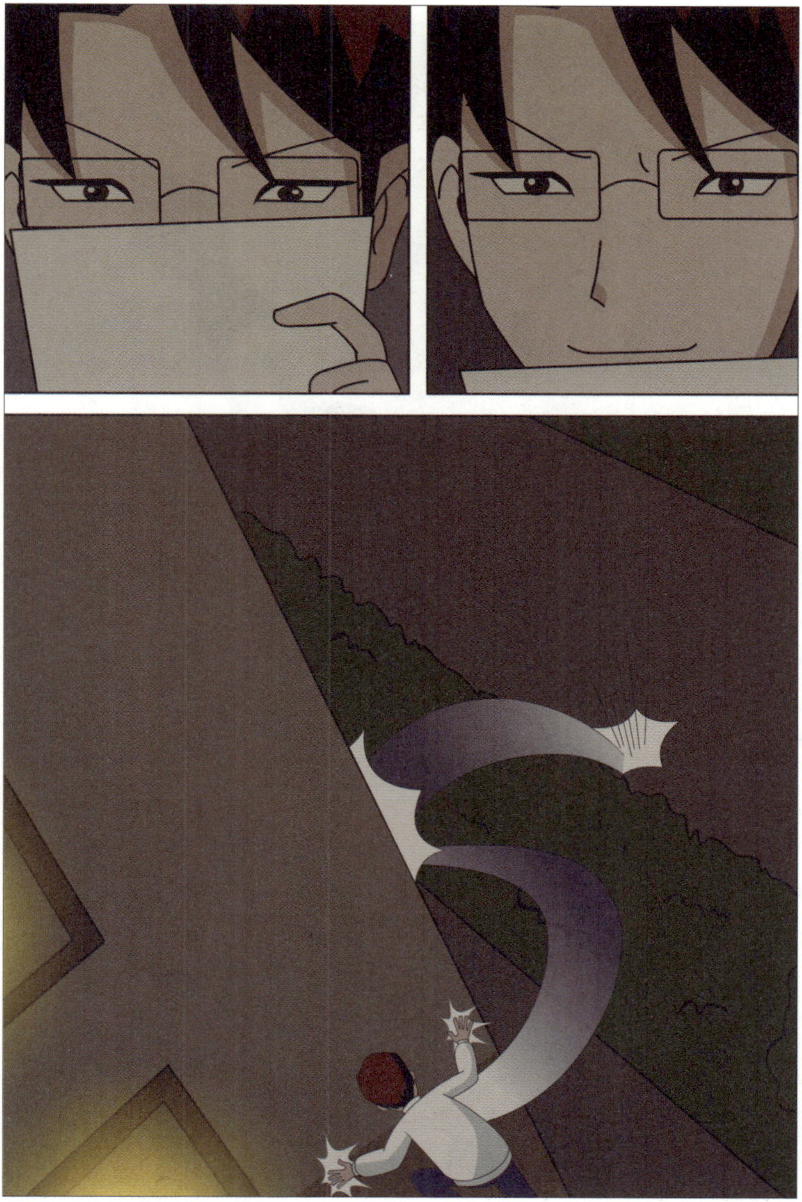

累死了！
哎、哎、真是累死了！
小梦房间内
呱～啦～喳！

我就要去泰国！
老婆啊，三天太短啦。
下次去好不好啊？
不行！

这样我拿什么发朋友圈啊！
中国电信 3G 3:45 44%
微信(5)
微信团队
0:25
3:45
巴厘岛的阳光好舒服，好温暖！
女人就该对自己好一点，shopping day！

关键我也请不到假陪你啊。
现在你又没工作，还有两个孩子。
花销很大的。
夏涛！你是在嫌弃我没有收入吗？！

我的命怎么这么苦啊？
嗓门好大啊～～
你以为我不想做职业女性吗？我得照顾宝宝们啊……
好了好了，老婆不生气！
你说干嘛咱们就干嘛！

那我们去泰国好不好?
没假。
那给我买 LA 的包包和大衣好不好?
这月还没发工资。

夏涛!!!

哐！

刚才好像砸到什么东西了？

不带这么玩儿我的！

小梦家门口
阿姨、叔叔，我们先走了。
好的，欢迎
下次再来哟~

咳咳
哎
嗯。

张老太婆点名让我节后讲……
拉
讲刘备和猪猪亮的故事。
什么猪猪亮？是诸响亮！
话题转移得漂亮！
你这孩子老没大没小的！
什么张老太婆，要叫张老师！
怪我咯。

啊哈哈哈，我看小梦还是很有进步啊，都能记住张老太婆，啊不不不，张老师布置的作业了。
哎，说的也是，那假期就带你去武侯乡吧。
OK

三年后，巨鹿之战

哒！

炎黄联盟与蚩尤大战了三天三夜，
最终蚩尤败下阵来。

魍魉快带大人走

没时间了，我们快顶不住了！
你们小心。
祝融
共工

常先
嗝~

先撤吧！
咻！

大人，振作点！
邢天去找神农后裔了，马上就到。

有个秘密我一直未曾告诉你。
您说。

你和你哥哥……
生下来就是被九黎族图腾选中的孩子。
你们……咳咳……
你们是暗之元神……

可……为什么现在才告诉我？
是我怕敌不过觉醒后的你，都怪我！
都怪我！
我该如何觉醒？

我是将死之人，把剩下的元气传给你，希望对你有用，不过，

你哥哥已死，
不知你一个人能否发挥出所有的原力。
记住，别囿于过去。

大人，您不会死的，邢天马上就回来了。
不！